Diversidad

Somos diferentes, únicos y especiales

Proyecto y realización
Parramón Ediciones, S.A.

Dirección editorial
Lluís Borràs

Edición
Cristina Vilella

Textos
Elena Angulo Antúnez
Núria Bernaus Fitó
Esther Hernández Godoy
Adriana Sabugal Fernández

Dirección de arte
Mídori

Diseño gráfico y maquetación
Montse Montero, Pilar Cano, Soti Mas-Bagà

Fotografías
Age-Fotostock, Elena Angulo, Erika Arias, Getty Images, Obac, Quim Roser

Ilustraciones
Mariona Cabassa

Agradecimientos
Fundació Catalana Síndrome de Down

Dirección de producción
Rafael Marfil

Producción
Manel Sánchez

Preimpresión
Pacmer, S.A.

Primera edición: octubre 2008

Diversidad
ISBN: 978-84-342-3286-0
Depósito Legal: V-3.613-2008
Impreso en España

© Parramón Ediciones, S.A. – 2008
Ronda de Sant Pere, 5, 4ª planta
08010 Barcelona (España)
Empresa del Grupo Editorial Norma de América Latina

www.parramon.com

¿Existen dos copos de nieve iguales? ¿Y dos pies?

¿Te atreverías a comer insectos?

¿Por qué nos parecemos? ¿Y por qué somos tan diferentes?

Diferentes, únicos y especiales...

A Sabina le encanta la sopa de letras, baila muy bien y es tan curiosa como un gatito; a Iván le apasionan los animales, quiere saber el porqué de todas las cosas y ¡habla por los codos!; Noa es cariñosa y alegre, le encanta andar descalza y adora cantar; Carla es muy sociable, le fascina trepar y para ella es un placer comer plátanos; Adrià lo dice todo con la mirada, es inquieto, observador... y ¡muy risueño!; a Lu le gusta flotar en el agua y soñar...

¿El corazón tiene inteligencia?

¿Conoces cuáles son tus derechos?

Todos ellos, más todos los demás niños que aparecemos en este libro, somos diferentes, únicos y especiales... **COMO TÚ.**

¿Te suena la palabra "bullying"?

La diversidad es un hecho y

¡TÚ ERES UN GRAN PROTAGONISTA!

¿Los dedos de la mano pueden leer?

Si quieres descubrir las respuestas a éstas y a muchas otras preguntas más, únete a nosotros y comprueba que las diferencias, cuando las conocemos, en lugar de separarnos nos unen.

¿Van todos los niños del mundo a la escuela?

¿Se puede tener dos madres?

¿Qué es el tilak?

sumario

Buenas ideas

para trabajar en grupo

La diversidad es un hecho que podemos constatar todos los días en nosotros mismos y en nuestro entorno.

No es que el mundo se haya vuelto diverso, siempre lo fue. Pero es tal vez desde hace algunas décadas, en las que se incrementaron las migraciones, se aceleraron los transportes y se desarrollaron las comunicaciones, que vivimos en un mundo de redes de información, trabajo e intercambio que incorporan –aunque muchas veces no integran– diversas disciplinas, culturas, opiniones, creencias y personas.

Objetivos

Reflexionar sobre la diversidad es algo necesario en un mundo global, que no solamente nos exige nuevas maneras de actuar sino también nuevas actitudes, valores y aperturas, más allá de estereotipos y prejuicios, rompiendo con tópicos, tan presentes en nuestra sociedad, tales como "lo normal y lo anormal", "lo bueno y lo malo", "los inteligentes y los tontos", "lo bonito y lo feo", etc.

- Concienciar a los lectores de su ser único e irrepetible.

- Aprender a valorar las potencialidades de cada uno.

Es justamente entre los ocho y los doce años cuando los niños se hacen preguntas sobre todo lo que les rodea desde una perspectiva nueva y abierta, cuando comienzan a ordenar el mundo de manera personal, y cuando se fundan sus apreciaciones y valores que muchas veces durarán toda la vida.

- Promover que el niño abra los ojos a su entorno.

- Favorecer el desarrollo de un espíritu crítico.

Este es un libro para compartir, para leer en equipo, para discrepar y discutir, para investigar, preguntar, consultar... y para iniciar o continuar el viaje hacia el respeto a la diferencia.

- Fomentar el respeto y los valores que favorecen la convivencia y la cooperación con los demás.

A lo largo de ocho apartados, que van de lo concreto a lo abstracto, abordamos la diversidad desde distintos ángulos, de manera clara, directa y gráfica.

En el camino revisamos la diversidad en la forma, el movimiento, las percepciones, la familia, la sociedad y la cultura para llegar finalmente a la humanidad.

Ideas

El rol o papel del adulto consiste en animar y acompañar al niño a ir más allá de las páginas del libro, a seguir debatiendo, investigando y profundizando en los temas que se plantean. Esto se puede realizar a través de diversas maneras. Por ejemplo, mediante:

- **Observación:** se pueden hacer fotos, vídeos, dibujos y luego elaborar exposiciones, murales o colages.

- **Investigación:** a través de entrevistas, internet, consultas en bibliotecas, correspondencia con niños de otros lugares y visitas a instituciones u organizaciones.

- **Experimentación:** a través de juegos de rol y dinámicas de grupo, que permitan vivenciar el respeto, la discriminación, ser parte de una minoría o de una mayoría, etc. Realizar intercambios con niños o niñas de otra escuela, pueblo, ciudad o país.

- **Reflexión y análisis:** a través de debates sobre temas y situaciones de la actualidad, como la clonación, la venta de armas, el trabajo infantil o el comercio justo y nuestro papel frente a ellos.

- **Actuación:** a través de la creatividad en todas sus formas, se sugiere la participación, el compromiso y la elaboración de proyectos de apoyo, dirigidos a la escuela, a la comunidad o al barrio, a otros lugares del mundo, al medio ambiente, etc.

Más ideas

A lo largo del libro, se sugieren actividades para invitar a profundizar en el aprendizaje, la experimentación o la reflexión sobre los diferentes temas. A continuación se sugieren otras:

Dinámica de la flor

• Reporteros por un día. Se trata de realizar un artículo sobre algún tema o conjunto de temas, utilizando la entrevista y la investigación. Podrá ser un proyecto a largo plazo y que se presente al grupo. Los diferentes artículos podrán suscitar la discusión.

• Yo voto. A propósito de las leyes y el gobierno, puede pensarse en una campaña a nivel del grupo o la escuela en la que se hagan propuestas concretas para mejorar alguna situación y posteriormente una votación para llevarlas a cabo.

• Y si yo fuera tú. A través de noticias concretas, tratar de ponerse en el lugar de las personas que se describen en situaciones problemáticas o simplemente con realidades muy distintas. Se trata de dejarse llevar por la imaginación y por el respeto, ponerse en el lugar de los otros y realizar una redacción sobre su vida cotidiana, sus pasatiempos e intereses. Con todas las redacciones puede establecerse un diálogo rico en pluralidad.

• Etiquetemos. Esta actividad puede ser muy útil para experimentar en carne propia la discriminación. Se necesitan pegatinas y escribir en cada una un prejuicio diferente (por ejemplo: raro, mentirosa, pijo, bueno, mala, miedosa, inteligente, etc.), pegarlas en la frente de cada niño -sin que éstos puedan ver lo que está escrito en cada una- y después interactuar como si se encontraran por primera vez. Las preguntas al final pueden ser las siguientes:
¿Os trataron diferente?
¿Cómo os habéis sentido?
¿Ayudan las etiquetas a comprender mejor a las personas?, etc.

Imagínate que eres esta flor… e imagínate que cada pétalo es una parte de ti. Escribe, engancha fotos o dibuja qué pondrías en cada uno de ellos. Pega tu foto en el centro.

Si sois un grupo de niños podéis hacer un jardín. Dibujad esta flor en una cartulina, que cada uno la rellene, y cuando estén terminadas colgadlas en la pared. Tendréis ante vuestros ojos ¡un espléndido jardín multicolor!

«El mundo es como un jardín. Cada cultura es una delicada flor que hay que cuidar para que no se marchite, para que no desaparezca. A veces pueden parecernos semejantes, pero cada una tiene su aroma, su textura, su tonalidad particular. Y aunque las flores azules sean nuestras predilectas, ¿qué sería de un jardín sólo con flores azules? Es la diversidad la que otorga el alegre colorido a un jardín…»
**Elicura Chihuailaf
poeta mapuche**

¿HAS VISTO ALGUNA VEZ DOS ÁRBOLES EXACTAMENTE IGUALES?

¿Cuántas especies de árboles conoces?

¿y cuántos árboles diferentes de la misma especie?

¿Te parece rara esta pregunta?

Entonces observa con atención dos robles, dos jacarandas, dos olmos o dos pinos...

¿Qué ves?

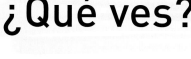

La riqueza y la belleza de la naturaleza está precisamente en la diversidad de las formas, los tamaños, las texturas y los colores. Cada árbol, además de ser parte del bosque, es en sí mismo un ejemplar único de la gran familia arbórea.

¿Te imaginas cómo sería la naturaleza si todos los árboles fueran idénticos?

Si te quedas quieto con los pies muy juntos y alguien te empuja, es muy probable que te caigas, pero si abres las piernas y apoyas los pies bien firmes a la altura de tus manos, con los brazos extendidos, entonces no será tan fácil hacerte caer...

El sistema de raíces de los árboles funciona igual; crece en todas direcciones en lugar de crecer en profundidad

¡y esto es lo que hace que no se caigan!

En cada semilla se encuentra toda la información necesaria para que crezca un árbol, sólo necesita tiempo y el ambiente adecuado para desarrollarse: tierra, lluvia, luz y calor.

Magia

Una leyenda africana cuenta que si una persona bebe agua en la que se han mojado semillas de baobab, quedará protegida del ataque de los cocodrilos. Pero si se atreve a arrancarle una flor, morirá devorada por un león.

¡Qué medidas! El Baniano es un árbol de la familia de los ficus. Budistas e hindúes lo consideran un árbol sagrado. El más famoso se encuentra en el Jardín Botánico de Calcuta, tiene más de 250 años y ocupa una superficie de 12.000 metros cuadrados.

...mejor hablemos de diversidad

Según el diccionario, la perfección, es la «completa ausencia de error o de defecto».

¿Conoces algo perfecto? Tal vez las máquinas o las fórmulas matemáticas puedan ser perfectas, pero... ¿La naturaleza es perfecta? ¿Y las personas?

También se ha utilizado "la perfección" como sinónimo de belleza pero, si observas con cuidado, verás que la naturaleza es "perfecta en su imperfección" y que las diferencias en todo lo que existe hacen que sea hermosa.

Otra palabra que no es fácil de utilizar sin excluir o discriminar, cuando hablamos de nosotros, los humanos, es la palabra "normalidad".
Se dice que es "normal" lo que suele ocurrir siempre o de manera habitual. También se utiliza la palabra "normal" para hablar de lo que se acerca a ciertas "normas" o reglas, pero éstas cambian dependiendo del grupo que decida seguirlas.
"Lo normal" se construye sobre acuerdos y en diferentes situaciones tiene significados distintos.

Seguramente, la selección del contenido de los discos hoy sería otra; lo único que seguiría siendo constante para representarnos a nosotros y a nuestro planeta sería la diversidad.

En 1977 fueron lanzadas dos Sondas al espacio: *Voyager 1 y 2*. Las dos, además de estar equipadas para mandar información y fotografías a la Tierra, llevaban en su interior un disco de oro en el que estaban grabados saludos en 55 idiomas, música de diversas partes del mundo y una selección de sonidos e imágenes característicos de nuestro planeta.

¿Qué elegirías tú como representativo de la Tierra?

Incluso en los cristales de nieve se puede observar la diversidad.

Están hechos de vapor congelado y son más pequeños que una gota de agua; mientras caen se agrupan formando los

copos que cubrirán el paisaje de blanco.

Aunque, por lo general, son figuras hexagonales o estrellas de seis brazos, cada cristal tiene el "talento natural" para encontrar su propio diseño.

No existe uno exactamente igual a otro y, al tocar el suelo, en cuestión de minutos, a veces de segundos, su forma única desaparece.

¿**Cómo** son tus **líneas?**

Pegadas a los dedos

Las huellas digitales o dactilares y los patrones que tenemos en la palma de las manos son marcas únicas de cada persona. Se forman en el útero a partir del cuarto mes de gestación y nos acompañan durante toda la vida. Crecen con nosotros y se transforman, pero no podemos borrarlas.
De hecho, pueden ser la única forma de identificar a alguien.

Como tú no hay dos...

Nadie más en el mundo tiene en las yemas de los dedos los mismos dibujitos que tú tienes. Además, en una sola mano hay una huella particular para cada dedo. Incluso los gemelos idénticos tienen huellas distintas.
Aun así, existen unos patrones básicos que siempre aparecen en las huellas, como el bucle o recodo, la espiral, el arco, la combinación y la variación.

BUCLE O RECODO

ESPIRAL

ARCO

COMBINACIÓN

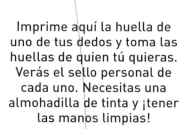

Imprime aquí la huella de uno de tus dedos y toma las huellas de quien tú quieras. Verás el sello personal de cada uno. Necesitas una almohadilla de tinta y ¡tener las manos limpias!

¿Sabías que...
...sólo los primates tienen huellas digitales? Otros animales tienen otro modo de ser únicos, como las cebras; ninguna tiene el mismo patrón de rayas negras.

Tu firma

Cuando tomamos algo con la mano, como un vaso o un teléfono, nuestras huellas quedan marcadas porque el sudor y la grasa naturales de la piel actúan como si fueran tinta transparente.

LA CIENCIA QUE ESTUDIA LAS HUELLAS DACTILARES SE LLAMA DACTILOSCOPIA. COMO ESTAS MARCAS SON PERSONALES, SE USAN PARA IDENTIFICAR O PARA BUSCAR SOSPECHOSOS EN LAS INVESTIGACIONES DE LA POLICÍA.

Los pies son la parte más importante del cuerpo, digan lo que digan las demás partes... **¡Todas ellas se sustentan en nosotros!** Cada pie consta de 27 huesos unidos por numerosas articulaciones, músculos, tendones y ligamentos.

Tienes razón, los pies aguantan muchos kilos. ¿Os imagináis? Después de correr 7 kilómetros, un hombre que pesa 70 kilos ha generado en sus pies una presión equivalente a 850 toneladas. Para que tengáis una idea, un elefante adulto pesa

¡¡7 TONELADAS!!

¿Alguno sabe por qué los pies son tan sensibles

Porque en cada planta se encuentran unas 7.200 terminaciones nerviosas del cuerpo.

Además de risueños también somos muy resistentes y adaptables.

Lo importante es que cada pie tiene su carácter, incluso en la misma persona un pie puede ser distinto al otro. ¡Seguro que te habrás dado cuenta al probarte unos zapatos nuevos!

¿EGIPCIO O GRIEGO? ¡POLINESIO!

Claro, por eso nosotros somos primordiales.
Yo opino que los pies tienen que ser coquetos, elegantes
y cuidados. En definitiva,
¡un bombón!

Sí somos importantes, guapa, pero no sólo somos un adorno.

¡Ejem!

Los zapatos estamos hechos para que los pies estén protegidos

y tengan el soporte que necesitan para caminar, correr, escalar, trabajar...

a las cosquillas?

¿Sabéis cuántos tipos de pies diferentes hay? Dos: el pie egipcio, que tiene el dedo gordo más largo que los demás y el griego, en el que el dedo más largo es el segundo, o sea, el que sigue después del gordo.

¡Uaf!

Cuando los pies están cansados de andar nos necesitan a nosotras, ¡sí, señor! ¿Sabéis que en 70 años los pies han caminado hasta 190.000 kilómetros, es decir, más de 4 vueltas alrededor de la Tierra?

Pues, fíjate, no es cierto ¡Hay tres tipos de pie! El tercero se llama pie polinesio o cuadrado y tiene todos los dedos casi del mismo tamaño, a la misma altura.

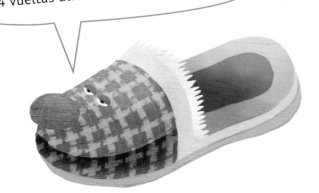

VARIOPINTO

La materia se presenta en el universo de múltiples formas. Existen galaxias, estrellas, planetas, rocas y seres vivos. Todo está compuesto por una combinación de líquidos, sólidos y gases. Algunas de estas formas comparten una cualidad curiosa: si las dividimos por la mitad, las dos partes se ven iguales. A esta cualidad la llamamos **simetría.**

El exterior de los seres humanos, como el de muchos animales, es un buen ejemplo de simetría. Tenemos una casi igualdad entre las dos partes de nuestro cuerpo. Pero esta simetría no es completa. En el interior de nuestro organismo existe la asimetría de algunos órganos, como el corazón o el hígado. Y, si observas con cuidado, tampoco la simetría externa es perfecta, por ejemplo, entre las manos, los pies o los dos lados de la cara. La asimetría es completamente natural tanto en el cuerpo como en la cara.

La melanina es un pigmento que determina el color de la piel, el pelo y los ojos. Los albinos apenas tienen melanina. En los animales son un buen ejemplo de albinismo los gatos blancos de ojos azules.

Divide la fotografía de un rostro en dos con una línea vertical que pase por el centro de la nariz. Tapa con una hoja de papel un lado y observa; haz lo mismo con el otro lado, ¿son diferentes? Ahora coloca un espejo sobre la línea de tal manera que refleje sólo el lado derecho del rostro y podrás ver cómo sería esa cara con dos lados derechos; sucede lo mismo si pruebas del lado izquierdo.

¿No te parece que esas dos nuevas caras son diferentes a la cara original?

Engancha tu foto y prueba

Niñ@

Estudios recientes han demostrado que el cerebro de los niños y el de las niñas no son exactamente iguales. Además de desarrollarse a una velocidad diferente, también lo hacen en una secuencia distinta, es decir, que las zonas cerebrales encargadas de diversas habilidades crecen en tiempos distintos en unos y otros. Por ejemplo, las habilidades del lenguaje se desarrollan antes en las niñas, mientras que la memoria espacial y la percepción geométrica madura antes en los niños. Aun con las diferencias que existen entre los sexos, cada persona es única y no todos los hombres ni todas las mujeres son iguales. Lo que sí debe ser igual para todas las personas, sin importar su género, son las oportunidades para desarrollarse.

¿Sabes qué significan estos signos? ¿Cómo se llaman y de dónde salieron? Estos dos símbolos comenzaron a utilizarlos los biólogos para distinguir a la hembra del macho y se tomaron de la mitología romana. El círculo con una cruz debajo representa el espejo de Venus, la diosa del amor, la belleza y la fertilidad. El círculo con una flecha orientada al nordeste es la representación del dios Marte, que originalmente era el dios de la fertilidad, la vegetación y el ganado, y más tarde también de la guerra. Se trata de su escudo y su lanza.

bla bla bla bla bla bla

Biológicamente, la mayoría de las veces, las mujeres nacen con un par de cromosomas X y genitales femeninos, y los hombres nacen con genitales masculinos y con un par de cromosomas XY. Pero también hay personas que no pueden ser clasificadas como hombre o mujer porque poseen una combinación diferente de cromosomas, hormonas y genitales. Las investigaciones señalan que una de cada cien personas puede nacer con rasgos intersexuales, es decir, de los dos sexos. Algo que seguimos teniendo en común todos los humanos es que nacemos de la combinación de femenino y masculino. No sólo biológicamente somos el resultado de un encuentro entre células masculinas y femeninas, sino también en nuestra forma de ser tenemos algo de nuestro padre y algo de nuestra madre.

¿Sabes qué significa este símbolo?
En la filosofía oriental, la dualidad existe en todo el universo. Hay dos fuerzas opuestas pero complementarias en todas las cosas. Esta teoría se aplica a todo tipo de dualidades: la mente y el cuerpo, el bien y el mal, el hombre y la mujer, la guerra y la paz, etc. Esta energía se representa con el símbolo del Ying Yang. El Ying (lado negro con un punto blanco) se asocia con lo femenino y el Yang (lado blanco con un punto negro) con lo masculino. Los contrarios son, en realidad, partes de una unidad mayor y tienen elementos comunes.

¿A quién te pareces?

Un clon es un individuo reproducido asexualmente a partir de las células de otro individuo vivo. La clonación se ha experimentado desde hace tiempo con plantas y con animales. La oveja Dolly fue el primer mamífero clonado a partir de una célula adulta. Los científicos siguen intentando la clonación de seres humanos. Se ha desencadenado un gran debate alrededor de este tema:¿la clonación debe hacerse sólo con fines terapéuticos?

¿Tú qué opinas?

Los genes (unidad de herencia básica) contienen un código (algo parecido a un manual de instrucciones) en el que está determinado desde el sexo hasta el color de los ojos, pasando también por algunas habilidades físicas (como mover las orejas, enrollar la lengua, etc.). Éstos determinan en gran medida el parecido entre familiares, pero los lazos que se establecen con la convivencia también son muy importantes ya que la personalidad y la inteligencia se deben, además de a los genes, a complejas experiencias sociales y a la convivencia entre las personas. Parecerse o ser semejante no significa ser "igualito". Por más que te parezcas a alguien, siempre hay particularidades que te hacen ser único e irrepetible.

¿Has visto alguna vez a un perro que se parezca a su dueño?

¿Cómo es posible si no existen lazos de sangre entre ellos?

¿Has visto parejas que caminan del mismo modo?

¿Es la imitación otra forma de parecerse?

Los hermanos **Layton** y **Kaydon Richardson** nacieron el 23 de julio de 2006, en el Reino Unido, en el mismo parto y de la misma madre, como todos los gemelos, pero... éstos son distintos entre sí: uno tiene la piel oscura y los ojos negros, y el otro posee la piel clara y los ojos azules. ¡Se trata de un caso entre un millón!

Yo dibujo,
tú escalas

María es una buena nadadora, Guille tiene mucho ritmo, Unai lee muy rápido, Daniela dibuja muy bien... Seguramente has escuchado muchos comentarios parecidos. Incluso en la misma familia, un hermano tiene habilidades para una cosa y otro para otras muy distintas. Tal vez tú mismo te consideras más hábil para saltar que para cantar. ¿Sólo es cuestión de aprendizaje?

El ser humano tiene diversas habilidades físicas y sociales. Las primeras tienen que ver con los movimientos y con cómo manejamos el cuerpo en el espacio. Las habilidades sociales, en cambio, nos sirven para relacionarnos con los demás y para controlar nuestras emociones.

En principio, todos los humanos estamos "equipados" con las mismas habilidades, pero no todos las desarrollamos de la misma manera.

Distintos entornos, habilidades distintas
Y-sa vive en un pueblo flotante en el lago Tonle Sap, en Camboya, y aprendió muy pronto a remar y a maniobrar la canoa para poder ir a la escuela que está en una casa-bote sobre el agua.

¿Las habilidades físicas y sociales se aprenden, se imitan o se "llevan" en los genes?

Un poco de las tres. Las habilidades físicas dependen de la herencia genética pero también, como las habilidades sociales, de la imitación, de la experiencia y del aprendizaje. Las habilidades sociales son parte del desarrollo del ser humano desde que nace.

Yo más que tú...

Comparar habilidades no tiene sentido porque cada uno de nosotros tiene su propio ritmo y estilo de aprendizaje; además, las habilidades muchas veces pueden mejorarse con la práctica.

Estamos aquí para aprender

Una de nuestras grandes habilidades es el aprendizaje. Éste nos permite cambiar nuestra conducta en función del entorno y buscar las soluciones más apropiadas. Ésta es una característica distintiva del *Homo Sapiens*.

Neli vive en Chulpaloma, en Bolivia, y desde pequeña sabe cortar chala (maíz) y llevar las vacas al campo.
Pero no necesitamos ir tan lejos; seguramente tus amigos tienen habilidades distintas a las tuyas... ¿Aprendizaje, genética o simplemente diferencias?

Los JUEGOS PARALÍMPICOS se originaron en 1948 en Inglaterra a raíz de una competición deportiva entre veteranos de la Segunda Guerra Mundial con lesiones de médula.
En 1960, en Roma, la competición se convirtió en la primera olimpíada paralela para personas con discapacidad. Hoy en día, los Juegos Paralímpicos constituyen la competición olímpica oficial para atletas con discapacidades físicas, mentales y sensoriales.
Este evento mundial incluye seis grupos distintos de discapacidad entre los que se encuentran la ceguera, la parálisis cerebral y la discapacidad mental.

PARALÍMPICOS

Los deportes que se practican en silla de ruedas consideran la silla como parte del cuerpo y mantienen las mismas reglas de los deportes para personas sin discapacidad, aunque con ciertas excepciones, por ejemplo en el tenis está permitido que la pelota bote dos veces en el suelo después de cruzar la red.

PARÁLISIS CEREBRAL

Es un trastorno permanente en diferentes áreas del cerebro que causa alteración de las funciones motrices. Suelen aparecer dificultades en el aprendizaje y la comunicación. Las causas pueden ser genéticas o deberse a enfermedades o accidentes antes o después del nacimiento. Pueden estar afectadas distintas zonas del cerebro, por eso cada caso es distinto.

¿PUEDE PARALIZARSE LO QUE HAY EN LA MENTE Y EL CORAZÓN?

Stephen Hawking (1942) es un científico inglés que ha estudiado las leyes físicas del Universo y los agujeros negros. Tiene una enfermedad en el sistema motriz neuronal que lo ha ido paralizando desde los veintiún años.

Cuando ya no pudo hablar, comenzó a utilizar un sintetizador de voz. Mediante un leve movimiento de ojos o de cabeza elige las palabras o frases que necesita en el ordenador y así puede escucharse "su voz electrónica". Ahora, dice Hawking, puede hablar mejor y más rápido que nunca... Lo único que le resulta extraño, siendo inglés, es su acento norteamericano.

Nadie tiene todas las capacidades ilimitadas para todos los propósitos y todos los ambientes. Todos tenemos capacidades y discapacidades. Las limitaciones y restricciones de las personas con discapacidad son resultado, muchas veces, de cómo está estructurado el mundo, de la organización de la sociedad y del temor a lo que es diferente.

Izquierda

El mundo al revés

Los zurdos están en constante desventaja en la sociedad ya que casi todas las herramientas y el diseño de objetos son para diestros. Los instrumentos musicales, las tijeras, los abrelatas, los cambios de velocidad de la bici, los controles en los aparatos, los botones en las camisas... están hechos para la mano derecha.

¿Sabías que en árabe y en hebreo se escribe de derecha a izquierda?

ALGUNOS MOVIMIENTOS DE NUESTRO CUERPO SON VOLUNTARIOS PERO OTROS NO, COMO EN EL CASO DE LOS TICS Y EL SONAMBULISMO. LOS TICS SON MOVIMIENTOS INVOLUNTARIOS DE ALGÚN GRUPO DE MÚSCULOS DEL CUERPO, EL SONAMBULISMO CONSISTE EN LA REALIZACIÓN DE CONDUCTAS PREVIAMENTE APRENDIDAS PERO DE FORMA AUTOMÁTICA Y DESCONTROLADA (DEAMBULAR POR LA CASA DORMIDO PERO CON LOS OJOS ABIERTOS, ABRIR PUERTAS, ETC.).

La mayoría de los seres humanos son diestros, es decir, utilizan predominantemente el lado derecho del cuerpo. Pero por lo menos una de cada diez personas es zurda, es decir, utiliza principalmente el lado izquierdo de su cuerpo. Las personas que usan ambos lados con la misma habilidad se llaman ambidiestras.

Derecha

¿Sabías que...

...En los primeros vehículos de motor el asiento del conductor y el volante estaban en el centro? Después algunos fabricantes decidieron mover ambos hacia el lado izquierdo, de tal manera que el conductor quedara más cerca de la línea del centro de la carretera y pudiera ver más fácilmente a los que venían en sentido contrario. Otros fabricantes decidieron mover el volante al lado derecho, pensando que era más importante tener buena visibilidad para aparcar.

Actualmente, en muchos países la circulación es por la derecha y los automóviles tienen el volante en el lado izquierdo, mientras que en otros, se conduce por la izquierda y el volante de los coches está en la derecha.

Todos compartimos seis emociones básicas a las que les corresponden seis expresiones:
felicidad, sorpresa, disgusto, tristeza, cólera y miedo.

Estas expresiones son semejantes en la mayoría de los seres humanos. Hay una zona concreta del rostro esencial para expresar cada emoción. La sorpresa es la única que se manifiesta en todas las zonas. Nuestra cara es nuestro medio más importante para comunicar emociones y estados de ánimo. Ser capaz de "leer" el rostro de los demás es parte de nuestra naturaleza social.

OTRA VEZ LOS GENES...

Según estudios recientes, las expresiones que adoptamos cuando estamos contentos, tristes o enojados son hereditarias. Constituyen una especie de "firma familiar". Para comprobarlo, un grupo de investigadores de la Universidad de Haifa (Israel) analizó las expresiones faciales de 21 voluntarios ciegos de nacimiento y las de sus parientes en distintas situaciones. El resultado fue que tenían las mismas expresiones que sus familiares... a pesar de no haberlos "visto" nunca.

¿Reconoces estas expresiones?

ja
ji Ji ja
ja ji Ji ja
ju ji
ju jo ja
ja
ja
ji
ju

Los bebés comienzan a reír hacia los cuatro meses de edad. La risa es una parte de la conducta humana controlada por el cerebro. Es muy contagiosa.
Se produce de manera espontánea en los humanos, especialmente en los niños, que ríen casi 300 veces al día frente a las menos de 100 veces de los adultos.

¿Sabías que...
...además de nuestros "primos" los primates, hay investigaciones que demuestran que también los perros y las ratas se ríen...? ¿Has visto a alguno?

¿A qué sentimiento corresponde cada una?

UN CAJÓN PARA CADA ESPECIE
Y ¿uno para cada ser humano?

De todos los seres que habitan nuestro planeta, los humanos somos los únicos que tenemos la capacidad de observación y de análisis. Queremos comprender el mundo que nos rodea, y para ello necesitamos dividirlo y clasificarlo en función de las similitudes y diferencias de los seres que habitan en él. Pero ésta es una necesidad nuestra ya que en el mundo las cosas no están divididas ni separadas.

¿O acaso viven todos los animales en un lugar del planeta y la vegetación en otro?

Es más, unos y otros se necesitan mutuamente para subsistir.

ÚNICOS

¿Pero son todas las personas piscis iguales entre sí?

¿O las personas divertidas igual de divertidas?

¿Y lo son todo el rato y con todo el mundo?

Desde hace mucho tiempo hemos intentado ordenar a las personas según su manera de ser, sus gustos, sus intereses, sus comportamientos. Se han creado muchas clasificaciones para agrupar a las personas bajo una misma etiqueta; por ejemplo: las personas divertidas, las que son del horóscopo piscis, las personas introvertidas, las personas que son ratas según el calendario chino...

No, todas ellas son muy diferentes entre sí. Así pues, resulta muy difícil clasificarnos, ya que cada uno de nosotros es único y diferente, y necesitaríamos tantas etiquetas como personas existen.

Piensa sin decírselo a nadie...
Si fueses un animal, ¿cuál serías?,
¿y si fueses una flor?,
¿y una canción?
Ahora pregunta a distintas personas que te conozcan bien qué opinan ellos. ¿Serías para todos el mismo animal, la misma flor y la misma canción? ¿Alguno coincide con lo que tú has pensado?
¿Te parece fácil clasificar a las personas?

FRÁGIL

EN CONSTRUCCIÓN PERMANENTE

Clasificar a los seres
humanos es tan complicado
que parece imposible.
Hay ciertas semejanzas
entre unos y otros, pero
lo que salta siempre
a la vista es más bien
la diferencia y el hecho
de que los humanos
somos libres.

Nuestra capacidad de aprender, enseñar, construir, inventar, organizar, comunicar y transformarnos a nosotros mismos, al mundo natural y social nos diferencia de todas las demás especies del planeta.

No existe una sola persona en el mundo que lo sepa "todo". Nadie nace sabiendo todo lo que únicamente a través de sus experiencias aprenderá. El que cree saberlo todo deja de aprender y de crecer. Sócrates lo dejó bien claro con su famosa frase «SÓLO SÉ QUE NO SÉ NADA».

La vida humana es una enorme aventura. Somos libres para construirnos de la mejor manera, ¿cuál es la mejor manera? Encontrar la respuesta a esta pregunta puede llevarnos TODA LA VIDA.

El ser humano nunca "ha terminado" de ser. Está creciendo y transformándose continuamente, desde el momento de la concepción, hasta el día en que muere. Además, está aprendiendo sin cesar y enriqueciéndose con sus experiencias. Equivocarse implica aprender y no perder las ganas de volver a intentarlo, o de buscar otros caminos.

La experiencia de los otros es una fuente inagotable de aprendizaje.

En los últimos cien mil años nuestro cuerpo y nuestro cerebro casi no han cambiado, pero hemos pasado de las herramientas de piedra a explorar, por medio de la tecnología, partes remotas del Cosmos. Todo eso se ha logrado, principalmente, por medio de la evolución cultural, no biológica, aunque nuestra biología es la que lo ha hecho posible.

EL INCREíBLE

ADN

El ADN es el lenguaje de los genes. Es como la receta de cada ser vivo; en él están descritas las características de cada uno.

Cuando se junta el espermatozoide de un hombre con el óvulo de una mujer se mezcla la información genética de cada uno y se definen las características del nuevo ser. Así, cada uno de nosotros somos un poco de nuestra madre y un poco de nuestro padre.

¡Por eso nos parecemos a ellos!

¡Aquí está escrito de qué color tendrá los ojos, el pelo y la piel, qué forma tendrá la nariz, si las orejas serán de soplillo o si tendrá pecas... incluso qué tipo de cosas le gustará hacer en su tiempo libre!

¿Sabías que...
...compartimos el 47 % de los genes con las abejas? Y casi el 99 % con el chimpancé?

Busca fotos de tus padres cuando tenían tu edad. ¿En qué te pareces a ellos? ¿En qué eres diferente?

Las siglas **ADN** son la abreviatura de **Ácido DesoxirriboNucleico.** ¡A ver si eres capaz de decirlo de carrerilla!

En ocasiones se producen cambios en los genes que dan como resultado características diferentes a las previstas. En otras, un gen alterado se hereda de los padres. Es como si se cambiara algún ingrediente o se pusiera más o menos cantidad de la que está en la receta.

En los casos de enanismo una alteración en los genes provoca que los huesos no crezcan de forma proporcionada y la persona no llegue a una talla estándar. Sucede en uno de cada veinte mil nacimientos.

El síndrome de Down es la alteración genética más frecuente. Se da en uno de cada setecientos embarazos. En ellos, el gen 21 está triplicado, por eso también se le llama trisomía 21.

EL GRAN

Piensa en cualquier actividad que hayas realizado a lo largo del día (leer, escribir, saltar, hablar, jugar a la consola, etc.). Pues bien, nuestro cerebro es el encargado de dirigir y coordinar todas estas acciones así como nuestros pensamientos, sensaciones y emociones.

El cerebro es como un gran ordenador central, conectado a través de nervios a casi todo nuestro cuerpo. Se pasa el día recibiendo y procesando la información que le llega de nuestro cuerpo y enviando nuevas órdenes para interactuar con el entorno.

SENSACIONES

PENSAMIENTO / RAZONAMIENTO / LENGUAJE / PARTE DEL MOVIMIENTO

Cruce de cables...

Como una nuez, el cerebro está dividido en dos grandes mitades conectadas por el centro, los hemisferios cerebrales. Cada uno de ellos está especializado en unas tareas concretas y controla la parte opuesta del cuerpo:

ORGANIZADOR

PARA FUNCIONAR CON LA MAYOR EFICACIA POSIBLE, NUESTRO CEREBRO ESTÁ DIVIDIDO EN VARIAS PARTES Y CADA UNA DE ESTAS PARTES SE ENCARGA DE UNA TAREA CONCRETA, AUNQUE TODAS ESTÁN CONECTADAS ENTRE SÍ PARA COLABORAR Y AYUDARSE.

El cerebro y la médula espinal son muy importantes. Nuestro cuerpo protege el cerebro con el cráneo y la médula espinal con la columna vertebral, pero nosotros también podemos protegerlos usando el casco y utilizando el cinturón.

Algunas personas hemos sufrido un derrame cerebral o una fractura de la columna, y esto nos ha producido parálisis en alguna parte de nuestro cuerpo.

El Alzheimer y el Parkinson son enfermedades más propias de adultos. Su causa es la pérdida de neuronas en diferentes áreas del cerebro, que afecta a la memoria y a otras capacidades mentales, así como al movimiento.

VISIÓN

el hemisferio izquierdo controla la mitad derecha del cuerpo y al revés. Por ejemplo, si quiero mover mi pierna derecha, será la mitad izquierda de mi cerebro (hemisferio izquierdo) quien envíe la orden.

MEMORIA Y EMOCIONES

La inteligencia del corazón

¿Quién es el más listo de tu clase?

Seguramente, si te hicieran esta pregunta contestarías con el nombre del compañero o compañera que mejores notas saca... O quizá preguntarías: «¿El más listo en qué?». Tal vez podrías contestar algo así como: «¿Te refieres a Unax, que es un as en matemáticas, o a Lua, que siempre sabe cómo resolver las discusiones?».

Y es que no hay un único tipo de inteligencia, sino muchas clases de capacidades intelectuales: hay quien habla de inteligencia verbal, inteligencia lógico-matemática, inteligencia musical, inteligencia espacial, coordinación o destreza corporal, inteligencia emocional... ¡Imagínate!

Así, no sólo es inteligente el que sabe mucho de mates, lengua o biología, sino también el que sabe de emociones.

Inteligencia emocional

Significa tener habilidad para conocer nuestras propias emociones, ser capaz de controlarlas y ser capaz de motivarnos para hacer lo que queremos o debemos. Por ejemplo, puedo sentir rabia, pero no dejarme llevar por ésta.

Significa tener habilidad para relacionarnos y comunicarnos con los demás. Es fundamental saber qué siento y qué pienso yo, y además saber ponerme en el lugar del otro para saber también qué piensa y qué siente él y así poder entendernos.

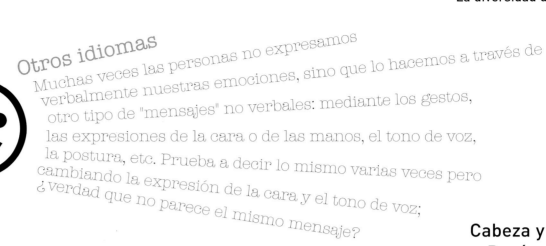

Otros idiomas

Muchas veces las personas no expresamos verbalmente nuestras emociones, sino que lo hacemos a través de otro tipo de "mensajes" no verbales: mediante los gestos, las expresiones de la cara o de las manos, el tono de voz, la postura, etc. Prueba a decir lo mismo varias veces pero cambiando la expresión de la cara y el tono de voz; ¿verdad que no parece el mismo mensaje?

Cabeza y corazón - Razón y emoción

Las emociones son parte del ser humano y, para bien o para mal, muchas veces nos empujan a actuar de una forma o de otra. A menudo pensamos con la "cabeza" pero finalmente acabamos haciendo lo que nos dice el "corazón". ¿Cuántas veces has pensado que deberías ponerte a hacer los deberes pero has seguido jugando porque te estabas divirtiendo más? O, tal vez, ¿has renunciado a hacer algo que te gustaba porque tu mejor amigo necesitaba hablar contigo?

¿Quién es más inteligente, el que saca un 10 en mates o el que es capaz de consolar a un amigo? Cabeza y corazón, lo mejor un poco de los dos, ¿no crees?

SOLA o

A mí me gusta leer sola y, a Marta, acompañada; y a las dos nos gusta mucho hacer acampada en la montaña con nuestros amigos. A ninguna de las dos nos gusta comer coliflor y nuestro plato preferido son los espaguetis con tomate, igual que el de Javier.

Podemos compartir gustos con otras personas, comidas, actividades, colores… Si te fijas, es una forma de parecernos entre nosotros. Otras veces, también podemos ser muy diferentes y preferir algunas cosas que a los demás no les gustan nada.

A veces nos gusta estar solos y otras preferimos estar **acompañados.** Somos animales sociales. Necesitamos el afecto de los demás. Sin un mínimo de cariño podríamos llegar a enfermar, pero también necesitamos que respeten nuestro deseo de soledad. Se puede disfrutar mucho simplemente estando con uno mismo. Piensa en ello. ¿Qué cosas son las que prefieres hacer en soledad? ¿Cuáles con otras personas? ¿Y esas cosas que se hacen únicamente cuando estamos solos? A menudo son cosas que nos incomodarían si las hiciéramos delante de otras personas y quizá podríamos ofenderlas. ¿Seguro que se te ocurren unas cuantas? Y en esas cosas también te pareces a muchas otras personas.

ACOMPAÑADA

COLIFLOR

¿A quién le gusta...?

Te proponemos el siguiente juego: con tu grupo de amigos separaros en función de si os gusta o no jugar al fútbol. Ahora separaros según si preferís ir de vacaciones a la playa o a la montaña. Volved a dividiros en función de cuál es vuestro plato preferido. ¿Qué ha pasado con los grupos?, ¿estaban formados siempre por las mismas personas?, ¿te ha sorprendido coincidir con alguien en algún grupo?

Somos tan diversos en nuestros gustos, actividades y preferencias que siempre podemos encontrar a alguien con quien compartir algo de todo esto. ¡Y no siempre tiene por qué ser con las mismas personas!

solitario

ME PUSE COMO UN TOMATE,

La personalidad es un concepto abstracto que sirve para definir el comportamiento y la forma de pensar de las personas. Se deduce de la manera habitual en que se comportan, y es resultado de la mezcla entre la herencia genética y el ambiente.

Aunque es bastante estable a lo largo de la vida, a medida que crecemos y acumulamos experiencias podemos cambiar en algo nuestra manera de actuar, pensar y sentir para adaptarnos mejor a nuestro entorno.

pesada

Los adjetivos de personalidad son "etiquetas" que nos ayudan a definir la manera de ser de las personas. Así, si decimos que alguien es obediente y educado podemos esperar que, si le pedimos que haga alguna cosa, la hará.

Pero estos adjetivos no son válidos para todas las personas, ocasiones o situaciones. Hasta la persona más valiente puede sentir miedo en algún momento, o tú puedes ponerte rojo de vergüenza y no ser nada tímido.

simpático

 REBELDE

nervioso

aventurera

tímido

inteligente

divertido

aburrida

tozuda

EXTROVERTIDA

ALEGRE

obediente

PERO NO SOY TÍMIDO

educado

¿Sabías que... hay mucha gente a la que le preocupa ponerse roja? Cuando esta preocupación se convierte en un miedo incontrolado se le llama eritrofobia. A estas personas les puede ayudar saber que todo el mundo se pone rojo, la diferencia está en la piel de las personas: cuanto más fina y pálida sea, más se nota.

movida

hablador

DULCE

travieso

IMPERTINENTE

INQUIETO

SOCIABLE

lista

Haz una lista de los adjetivos de personalidad que creas que mejor te definen. Después pídeles a tus padres, amigos o profesores que hagan la lista según te vean ellos.

¿COINCIDEN LAS LISTAS?

¿SIEMPRE ERES IGUAL O DEPENDE DE LA SITUACIÓN Y DE LAS PERSONAS?

impaciente

vergonzosa

tranquila

¿Cómo sabéis que os estáis bañando en el mar y no en la bañera?

* por el ruido de las olas al romper en la orilla
* por el olor a mar
* por el sabor a agua salada
* por el azul intenso del agua
* por la textura del suelo

¿Y tú, cómo lo sabes?

Las ventanas del cuerpo

Los sentidos son las ventanas de nuestro cuerpo y nos permiten recoger información de nuestro entorno y así poder interactuar con él. Los órganos de los sentidos transforman la información que nos llega del exterior en señales nerviosas. Éstas son enviadas al cerebro y se convierten en nuestras sensaciones y percepciones.

¿Sabías que... aparte de los cinco sentidos tradicionales tenemos otras formas de sentir que nos ayudan a percibir información de nuestro mundo interno? Por ejemplo, la capacidad de percibir el equilibrio que guarda nuestro cuerpo, la sensación de sed o la sensación de hambre.

¿Qué podemos hacer para cuidarlos?

OLFATO evita olores molestos. Límpiate periódicamente las fosas nasales.

OÍDO evita exponerte a ruidos fuertes o constantes. No introduzcas en él objetos extraños.

VISTA lee y escribe en lugares bien iluminados. No mires el Sol sin protección. Evita frotarte los ojos con las manos sucias.

GUSTO cepíllate los dientes y la lengua después de cada comida.

TACTO protege la piel del Sol e hidrátala. Bebe mucha agua. Limpia y desinfecta la piel cuando tengas una herida.

ACTIVIDAD:

Para muchas personas, la vista es el sentido más utilizado. A través de él obtenemos el 80 % de la información externa. Pero los sentidos son como un equipo de jugadores que cooperan entre sí para percibir el entorno. Cuando uno de ellos falta, los otros se organizan para recoger la máxima información estando mucho más atentos a todo lo que les rodea.

Haz la prueba: cuando estés en diferentes lugares cierra los ojos y escucha atentamente... ¿hay algún sonido, algún olor al que antes no habías prestado atención? Si estás comiendo... ¿descubres algún matiz en los sabores? O si manipulas objetos... ¿obtienes alguna información nueva con el tacto? Prueba a hacer lo mismo prescindiendo de otros sentidos.

¿POR QUÉ LA LUNA LLENA NO ES REDONDA?

¿De cuántas formas y colores pueden ser los ojos?
¿Puede una persona tener ojos de colores diferentes?
¿Ven todos igual?

Independientemente de nuestro color, tamaño y rasgos, los ojos tenemos una misma estructura y funcionamos de la misma manera. La visión es un proceso muy complejo en el que participan todas las partes del ojo y también el cerebro. No son los rasgos externos, ni el color de los ojos, lo que hace que nuestra visión sea distinta, sino pequeñas variaciones en alguna de sus partes internas o en su funcionamiento. ¡Por eso no todos vemos igual!

{ ¿Sabías que... la percepción del color puede ser muy diferente entre las especies. Por ejemplo, las libélulas pueden ver más colores que nosotros. Tienen la habilidad de Superman para detectar el infrarrojo: los objetos más fríos como columpios y toboganes pueden verse en un tono azulado, mientras que los objetos más cálidos, como el cuerpo humano, se ven más rojizos. }

Mis ojos tienen **estrabismo.** La causa está en los músculos, que no ayudan a los ojos a permanecer rectos y moverse juntos. Es muy importante ayudarlos. Por eso utilizo un parche sobre el ojo que ve bien, para forzar al otro a que su visión mejore y se iguale.

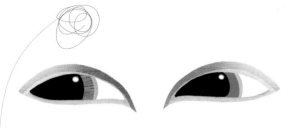

A mí me ocurre algo muy distinto, le llaman **daltonismo.** Variaciones en la pigmentación de los conos de la retina hacen que confunda algunos colores, normalmente el verde y el rojo.

Pues mis ojos tienen **astigmatismo.** Una variación en la curvatura de la córnea hace que parte de la imagen que reciben mis ojos esté borrosa.

Veo borroso de lejos, pero muy claro de cerca. Mis ojos enfocan la imagen de un objeto delante de la retina en lugar de hacerlo directamente en ella. Dicen que tengo **miopía.**

Por suerte, existen maravillosos inventos que nos ayudan a ver mejor.

¡A mí me ocurre lo contrario! Mis ojos enfocan la imagen detrás de la retina. Veo con dificultad los objetos cercanos pero con mucha claridad los lejanos. A este fenómeno le llaman **hipermetropía.**

¿Sabías que... sólo una parte del ojo es visible en la cara y que todo el ojo –el globo ocular– tiene el tamaño y forma de una pelota de ping-pong?

Cuando las personas no podemos ver con los ojos, entonces "vemos" a través de los otros sentidos, y por eso nos volvemos mucho más atentos a algunos estímulos que, si viéramos, nos pasarían desapercibidos. A través de los sonidos, las texturas, las formas, los olores y los sabores sabemos dónde nos encontramos, con quién estamos, qué estamos comiendo, etc.

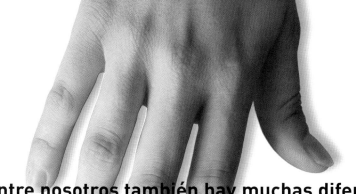

¡Entre nosotros también hay muchas diferencias!

Algunos somos totalmente ciegos, otros podemos ver el contraste entre la luz y la oscuridad, y otros tenemos un resto visual que nos permite ver objetos, letras y reconocer caras con el apoyo de ayudas especiales.

leer con los dedos

Las personas que no podemos ver también podemos leer.

¡Lo hacemos con los dedos!

Leemos en sistema Braille, que en lugar de verse, se 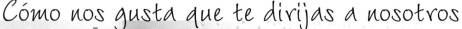 . Es un sistema de lectura y escritura a través de la yema de los dedos.

Cómo nos gusta que te dirijas a nosotros

* Habla mirándome a la cara.
* Dirígete directamente a mí, no a la persona que pueda acompañarme.
* Preséntate para que sepa con quién hablo.
* Di mi nombre para que sepa que vas a hablar conmigo.
* No sustituyas el lenguaje verbal por gestos.
* Avísame si te vas.
* Puedes decir "ver" y "mirar" sin miedo, son palabras que también utilizamos.
* Si necesito ayuda te la pediré, no te adelantes.
* Si te pido ayuda, para cruzar o sortear un obstáculo, colócate delante de mí y ofréceme tu brazo para que me agarre a él.

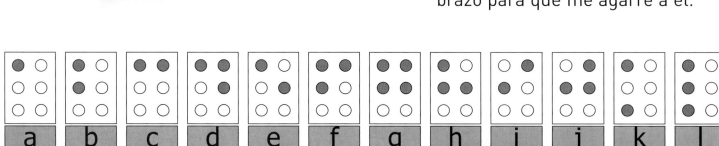

a b c d e f g h i j k l m

UTILIZA NUESTRO ABECEDARIO EN BRAILLE PARA SABER QUIÉN ES UNO DE NUESTROS MEJORES AMIGOS.

Para desplazarnos utilizamos la ayuda que mejor se adapte a nuestras necesidades, como el perro guía, el bastón o las ayudas ópticas. Con ellas y un buen entrenamiento, la mayoría de nosotros podemos desplazarnos y llevar a cabo las actividades cotidianas sin dificultad y de forma autónoma. Para nosotros es importante que el entorno esté ordenado y que las puertas y ventanas estén totalmente abiertas o cerradas. Así es más fácil encontrar las cosas y evitar accidentes. Por eso es muy importante que si hay algún cambio se nos avise.

Si quieres seguir practicando, toma una cartulina y escribe una palabra en Braille. Con un punzón y pinchando desde el otro lado de la cartulina conseguirás hacer un pequeño relieve en cada puntito. Dáselo a tu amigo o amiga y a ver si descubre lo que has escrito.

¿Sabías que...

...los perros guía pueden acompañar a sus dueños a todas partes y hay que facilitarles el acceso? Nunca hay que distraerles, están trabajando en algo muy importante.

n ñ o p q r s t u v w x y z

¿Qué dices?

Trabajar o vivir con mucho ruido de forma continua provoca una disminución en nuestra capacidad auditiva. **Por eso es importante protegerse.**

¿Sabías que Beethoven se quedó sordo pero siguió componiendo maravillosas obras que todavía hoy disfrutamos?

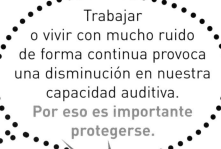

Me encanta escuchar música, por eso **la escucho con un filtro protector** para proteger mis oídos y poderla disfrutar ¡muuuuuuuuchos años! Dicen que los auriculares de botón no aíslan bien el ruido del exterior y entonces tenemos que subir mucho el volumen para anular el ruido de fuera. ¡Paso **de ponerla muy alta ya que puede afectar a mis oídos!**

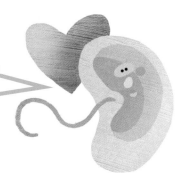

Hace cinco meses que estoy en la barriga de mi mamá y ya **empiezo a oír varios sonidos:** los latidos de su corazón, el ruido que hacen sus intestinos, su voz y a menudo escucho también la voz de otra persona... ¿quién será?

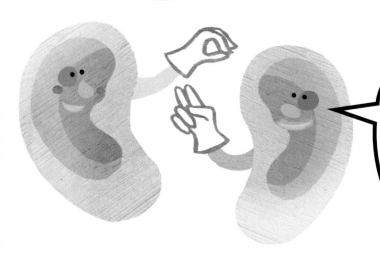

Nosotros **oímos a través de los ojos y a través de nuestro cuerpo.** Con los ojos leemos los labios y el lenguaje de signos. Con el cuerpo sentimos las vibraciones de los ruidos y del ritmo de la música.

Cuando oigo una nota sé identificar cuál es sin tener otra de referencia, **a esta habilidad le llaman "oído absoluto".** Las últimas investigaciones dicen que esta habilidad puede entrenarse entre los 2 y 4 años de edad.

Me ha explotado un petardo cerca de la oreja... y **¡no oigo nada!**

Las últimas investigaciones dicen que los oídos derechos somos más sensibles a los sonidos de la música y las canciones...

...y que los oídos izquierdos captamos mejor los sonidos del habla.

¿Sabías que **de cada diez personas una** ha sufrido algún grado de pérdida de audición?

Yo, cuando era joven, **lo oía todo perfectamente** pero a medida que me he hecho mayor, cada vez oigo menos... dicen que ocurre con la edad... Por suerte, mis nietos procuran hablarme siempre muy claro.

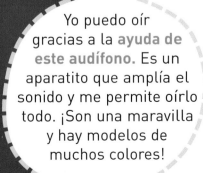

Yo puedo oír gracias a la **ayuda de este audífono.** Es un aparatito que amplía el sonido y me permite oírlo todo. ¡Son una maravilla y hay modelos de muchos colores!

EL ARTE DE LOS GESTOS

Nacemos con la capacidad para comunicarnos y poco a poco vamos incorporando la lengua de nuestra comunidad. Cuando no lo podemos hacer a través de las palabras, lo hacemos a través de los gestos. Así es como nos comunicamos los sordos, a través del lenguaje de signos.

¿Adivinas cómo me llamo?

¿Te animas a deletrear el tuyo?

Entre nosotros no nos deletreamos los nombres, ya que sería muy largo. Cada uno de nosotros tiene un signo que le identifica. Por ejemplo, mi signo es éste y cuando hablan de mí no deletrean todo mi nombre, sino que utilizan este signo.

Es más rápido **¿verdad?**

A B C D E F G H I

Marta es sorda, su hermano no lo es y su amigo Juan, tampoco. Marta y su hermano hablan en lenguaje de signos pues él también lo aprendió ya que es la mejor solución para comunicarse entre ellos. Juan hace poco que conoce a Marta, así que todavía no lo ha aprendido. Por suerte, Marta, como la mayoría de los sordos, ha desarrollado la habilidad de leer los labios. Juan sigue estos consejos:

✓ Cuando quiere hablar con ella, le toca en el hombro.
✓ Nunca tiene las manos delante de la boca.
✓ Nunca le habla por la espalda, sino siempre de frente.
✓ Intenta no tener nada en la boca cuando habla.
✓ Se comunica con mensajes cortos, no se enrolla.
✓ Habla muy claro y vocaliza bien.

✳ Otras lenguas

¿Crees que una persona que hable el lenguaje de signos en Barcelona puede entenderse con una que lo hable en Québec? Pues no. Al igual que el lenguaje oral, el lenguaje de signos comprende muchas lenguas diferentes. Se calcula que al menos hay unas cincuenta lenguas diferentes entre sí y muchísimos dialectos, algunos de los cuales coexisten en la misma ciudad.

Tenemos un signo para cada palabra que acompañamos con nuestra expresión facial.
Por ejemplo, Marta le está diciendo a Juan que le quiere.
Pero, a veces, es necesario deletrear una palabra y, por eso, tenemos este alfabeto.

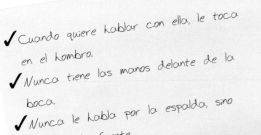

TOCAR Y SENTIR

¿Qué es lo que nos permite sentir la cuchara que sujetamos para comer, un pellizco en la pierna, el abrazo de un amigo o un cubito de hielo en la espalda?

El tacto se extiende por toda la piel y nos da muchísima información. La piel es muy importante. Cubre y protege todo lo que nuestro cuerpo tiene en su interior y, aunque parezca increíble, la piel también es un órgano, el mayor del cuerpo humano.

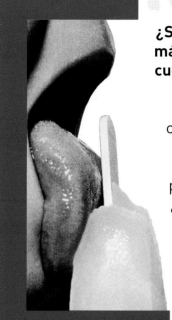

¿Sabes cuál es la parte más sensible de nuestro cuerpo? Es la punta de la lengua. Si hicieras la prueba verías que es capaz de captar con más precisión los puntos del sistema Braille, que la propia punta de los dedos. ¿Y cuáles son las zonas de mayor sensibilidad después de la lengua? La punta de los dedos, los labios, la palma de la mano y la planta de los pies.

NO SIENTO

Ciertas lesiones en la piel, en algunas de las vías que conectan las células receptoras y el cerebro o en el cerebro mismo, hacen que algunas personas tengamos afectadas algunas de las sensaciones o todas ellas. Estas personas tenemos que ayudarnos de los otros sentidos, principalmente de la vista, para evitar hacernos daño y seguir explorando el mundo que nos rodea.

¡¡¡AUY!!!

A través de la piel percibimos innumerables sensaciones. Esto es posible porque en la piel existen muchísimas células especializadas, llamadas células receptoras. Unas son expertas en detectar el contacto; otras, el dolor y otras, el calor o el frío. Cuando algo nos roza, cuando nos pinchamos, cuando nos llega la luz del sol, cuando tomamos un helado, éstas se ponen en marcha y envían una señal a nuestro cerebro produciéndonos las distintas sensaciones y avisándonos de posibles situaciones peligrosas para nosotros (dolor, deshidratación, congelación, etc.).

A través del tacto comunicamos también nuestros sentimientos. Las caricias, los besos y los abrazos son regalos que nos hacen sentir muy bien. ¡Ah! Y también es a través de él que sentimos las cosquillas. ¿Dónde tienes tú más cosquillas? Por cierto, ¿sabías que muchos animales, especialmente mamíferos como los perros y los delfines, también tienen cosquillas?

Los habitantes de la piel
y amigos

La piel está formada por tres capas: la epidermis, la dermis y la hipodermis. De la piel dependen los "anexos cutáneos" (los pelos, las uñas, las glándulas sebáceas y las glándulas sudoríparas).

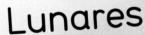

Lunares

Picaduras

GRANOS Y ESPINILLAS

¡No me molestes mosquito!

*Lunares

Los lunares no vienen de la Luna... Son pequeñas agrupaciones de células pigmentarias. Pueden tener gran variedad de formas, tamaños y texturas. Los lunares pueden salir en cualquier parte del cuerpo y la mayoría de las personas tienen entre 10 y 40.

¿Cuántos tienes tú?

*Picaduras

Las hembras de los mosquitos necesitan chupar sangre para reproducirse. Utilizan su saliva para hacer más líquida la sangre y poderla succionar. De hecho, es la saliva de los mosquitos lo que provoca que las picaduras nos molesten.

*Costras

Cuanto te haces un rasguño en alguna parte del cuerpo, unas células sanguíneas especiales, que se llaman plaquetas, permanecen juntas como si fueran pegamento. Funcionan como un vendaje protector que evita que te salga más sangre o que penetren gérmenes en tu organismo que podrían provocarte una infección. Además, las costras sirven para que la piel que está debajo pueda cicatrizar. Las cicatrices son los recuerdos que quedan en el cuerpo de nuestras experiencias en la vida, ¡cuentan nuestra historia!

*HEMATOMAS

Es el nombre médico para los moratones. "Hema" significa sangre. Cuando te golpeas, los vasos sanguíneos se rompen y dejan salir la sangre. Pero rápidamente el cuerpo se encarga de arreglarlo todo. El color negro y azul se transforma en verde y amarillo y después desaparece.

HEMATOMAS

*GRANOS Y ESPINILLAS

La piel está llena de pequeños agujeritos que se llaman poros. Éstos contienen las glándulas sebáceas. Cuando hay demasiada cantidad de sebo, los poros se obstruyen y se produce el acné, que se manifiesta de diferentes maneras en la piel.

Costras

Mmm... me recuerda a mi abuela

En la nariz hay unos 20 millones de células olfatorias que se encargan de transformar los aromas que nos rodean en un código que el cerebro pueda entender.

Las áreas que nuestro cerebro destina al olfato y a la memoria están muy próximas, por eso, a menudo, un olor despierta en nosotros algún recuerdo que puede llegar a ser muy lejano y la emoción que le va asociada.

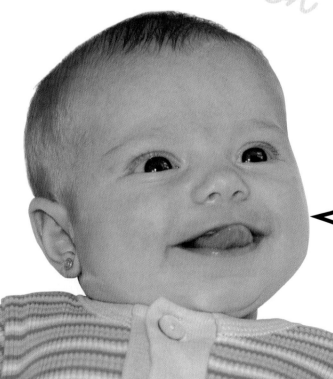

Cuando nacemos, nuestro sentido más desarrollado es el olfato. Nada más nacer, ya reaccionamos apartando la cara ante los olores desagradables y nos "enamoramos" del olor de nuestra madre. Cuando somos bebés y la olemos cerca, la reclamamos insistentemente hasta que nos toma en brazos.

La nariz distingue más de 10.000 aromas diferentes

¿Sabías que... Marcel Proust, escritor francés que escribió *En busca del tiempo perdido* -una de las novelas más importantes de la literatura del siglo xx-, empieza su novela con el recuerdo que despertó en su protagonista el aroma de una magdalena mojada en el té?

Cuando nos constipamos, nuestra nariz se congestiona como si nos la tapáramos con una pinza y el aire no puede circular por su interior; entonces, los receptores de los aromas no pueden hacer su trabajo y ¡no olemos nada!

¡Prueba!

Haz la siguiente prueba: cuando vayas a comer algo, tápate la nariz y fíjate en cómo sabe. Después, destápate la nariz y vuelve a saborearlo. ¿Verdad que sabe distinto? ¿Qué tiene que ver la nariz con el gusto? ¡Mucho! La nariz y la boca están conectadas en su parte posterior. Así, cuando nos ponemos algo en la boca, además de saborearlo con la lengua, el olor de lo que estamos comiendo sube hasta la nariz y nos amplía la información.

¿Te apetece jugar? Llena varios envases de yogur, cada uno con un ingrediente diferente. Por ejemplo: azúcar, mermelada, sal, jugo de limón, pimienta y otros que se te ocurran. Tapa los ojos de tu compañero de juego y con una cucharita dale un poquito, pero ¡sólo un poquito!

¿ADIVINA LO QUE ES? ¿QUÉ OCURRE SI CUANDO LO PRUEBA LE PONES DELANTE DE LA NARIZ OTRO ALIMENTO QUE DESPRENDA MUCHO OLOR?

¿Sabías que... podemos perder el sentido del gusto durante unos días si nos quemamos la lengua al probar algún plato muy caliente? También podemos perderlo, durante más tiempo o de forma definitiva, si se produce alguna lesión en la parte del cerebro que interpreta la información relacionada con el olfato, en estos casos, a veces, se puede saborear a través de la memoria. El tabaco y algunos medicamentos también pueden provocar que perdamos el gusto.

LA LENGUA SÓLO DISTINGUE 4 SABORES BÁSICOS (DULCE, SALADO, AMARGO Y ÁCIDO) PERO, EN CAMBIO, SOMOS CAPACES DE RECONOCER MUCHOS GUSTOS DISTINTOS.

AMARGO
SALADO
ÁCIDO
DULCE

EN LA LENGUA HAY MÁS DE 10.000 PAPILAS GUSTATIVAS PARA PROPORCIONARNOS LA INFORMACIÓN DEL SABOR.

Padres, madres e hijos

Todos somos hijos o hijas de alguien.

Casi siempre nacemos en algún tipo de familia. Ésta nos proporciona protección, amor, comida, etc. En ella aprendemos a comunicarnos y a relacionarnos, a saber cuáles son nuestros derechos y nuestros deberes como personas y así nos vamos preparando para la vida adulta.

Yo vivo en Dinamarca y tengo dos papás. Ellos son homosexuales y me adoptaron cuando era un bebé.

Yo he nacido en una familia que me cuida y me quiere.

Nosotros no podíamos tener hijos y por eso recurrimos a la fecundación in vitro para poder formar nuestra familia. Ella es Nina, nuestra hija.

Mi mamá murió cuando tenía tan sólo 10 meses. Como tampoco tenía papá, viví durante un tiempo en un orfanato en Ucrania. Allí fueron a buscarme Albert y Neus y me adoptaron. Hoy cumplo ocho años y tengo muchos amigos y una familia que me quiere mucho.

Yo vivo con otros niños en un centro de acogida, ésa es mi familia. Mis educadores, Tere y Julián, son como mis padres.

Y TÚ, ¿CON QUIÉN VIVES?

En el mundo existen diversos tipos de familias. En algunos lugares predomina lo que llamamos "familia nuclear", formada por el padre, la madre y los hijos que viven juntos, pero existen muchas otras formas...

A

LUCÍA vive sola con su mamá.

B

ANDRÉS está viviendo temporalmente con Carlos y Esther (su familia de acogida hasta que sus padres biológicos resuelvan sus problemas).

C

JOSÉ es gitano y vive con sus padres, su abuelo, sus tíos y sus cuatro hermanos con sus respectivas mujeres. Al lado viven más tíos y primos. Todos pertenecen a una misma familia que, a su vez, pertenece junto con otras familias a un mismo clan.

SILVER y su hermanito **CLAUDIO** viven con su papá, con la nueva pareja de éste y su hija: ¡ahora son familia numerosa!

E

PEDRO vive con su amigo Max.

F

D

ARIASU y **JIRO** han decidido vivir solos y no tener hijos.

G

ZAIDA vive con su madre y sus dos hermanos en una pequeña ciudad de Arabia Saudí. Su padre no está siempre con ellos porque tiene otra esposa con otros dos hijos en la ciudad vecina.

Engancha una foto o dibuja a tu familia.

cambios

Las cosas en nuestro entorno e incluso en nosotros mismos se te queda la ropa pequeña y cambia el color de las

Cuando a Martina le dijeron que iba a tener un hermanito no le hizo mucha gracia, no quería dejar de ser el centro de los mimos de mamá, papá, abuelos y tíos. Ahora que el bebé ya está en casa Martina está encantada; es verdad que mamá y papá no pasan todo el tiempo con ella pero ¡resultan tan divertidas las cosas que hacer!

A David le costó mucho aceptar la separación de sus padres. Creía que su padre viviendo en otra casa dejaría de quererle. Ahora sabe que no es así: tiene dos casas, papá y mamá continúan queriéndole igual y él sigue haciendo la mayoría de las cosas que le gustaban y algunas otras que ahora le encantan.

Otras veces son motivo de alegría.

En ocasiones los cambios nos asustan.

A veces estos cambios nos causan tristeza.

Los padres de Nicole tuvieron que abandonar su país y emigrar a otro para buscar trabajo y poder mantener a la familia. Dejaron a Nicole y sus tres hermanos con los abuelos. Al principio fue muy difícil para todos: poco a poco la mejor situación económica y el estar con los abuelos suavizó el estar lejos de papá y mamá.

cambian constantemente. Igual que en cada temporada hojas, también puede haber cambios en la familia.

Y la mayoría de las veces sentimos muchas emociones a la vez.

Pero, ¿sabes qué es lo que no cambia?

Ahora van a volver a estar los seis juntos: mamá, papá, sus hermanos y ella. Aunque Nicole tiene ganas de estar con sus padres, está asustada y confundida. No quiere dejar a los abuelos, ni a los tíos, ni a los primos, ni a Clara y María. Sabe que tendrá que adaptarse a vivir en un país extraño, donde hablan, visten y se comportan de forma diferente a ellos. Además ha pasado tanto tiempo... ¿Cómo será volver a vivir todos juntos?

¿Tú qué piensas? ¿Qué crees que podrías decirle a Nicole? ¿Qué crees que pierde? ¿Crees que puede ganar algo?

Pues que en todos los casos tenemos que adaptarnos a la nueva situación y podemos aprender algo nuevo de la experiencia.

Ser social

La sociedad es un conjunto de personas con objetivos y conductas comunes que se relacionan interactuando entre sí, cooperativamente. Los integrantes de una sociedad comparten un lugar donde vivir, uno o varios idiomas con los que se comunican y también costumbres y valores.

La palabra sociedad viene del latín *societas* y significa "asociación pacífica con otros".

Existen muchas formas de organizarse en el mundo. ¿Sabes cómo está organizada la sociedad en la que vives?

Los hormigueros están "organizados" de manera que cada hormiga tiene un papel en él y ayuda a que todas juntas subsistan. Además de las hormigas, los primates también forman "sociedades animales".

Un bebé no sobrevive solo, depende totalmente de sus padres o de quien lo cuide. Y más tarde, conforme vaya creciendo, dependerá de la sociedad para poder desarrollarse. Los seres humanos nos necesitamos unos a otros.

Las sociedades se crearon para poder sobrevivir y también para convivir.

¿Sabías que... los comportamientos o ideas de un grupo de humanos se transmiten de generación en generación por medio de la sociedad? De esta manera, la lengua, la religión, los valores y las costumbres actúan como el "pegamento" que la mantiene unida.

LAS REGLAS DEL JUEGO

PARA QUE UN JUEGO SEA DIVERTIDO PARA TODOS HAY QUE
RESPETAR LAS REGLAS; ¡LA SOCIEDAD FUNCIONA IGUAL!

El lugar donde se discuten y se votan las leyes tiene diferentes nombres en los distintos países. En algunos se llama Congreso, en otros, Parlamento, en Japón Kokkai o Dieta, etc.

No todas las leyes son justas. En algunas sociedades, las leyes no están hechas pensando en el bienestar de todos los ciudadanos, sino en mantener los privilegios de algunos.

Las leyes son diferentes en cada país, y son importantes porque indican lo que está "bien" o "mal" dentro de la sociedad.

Para hacer una nueva ley, se tienen que poner de acuerdo muchísimas personas.

¡VEN!
TE LO EXPLICO:
FÉLIX CUENTA Y
NOSOTROS NOS
ESCONDEMOS,
¡CORRE!

¿CÓMO SE
JUEGA?

Las leyes son las reglas obligatorias
que todos, sin excepción, debemos
respetar para poder convivir sin que los
actos de unos perjudiquen a otros.

¡TRAMPA!

Las personas que
violan las leyes dentro
de la sociedad son
sometidas a un castigo,
que puede ser el pago
de una multa, la cárcel
y todavía en algunos
países, la muerte.

Para convivir de la manera más justa
y buena para todos son necesarias
las leyes, que sirven para
organizarnos en la sociedad.

¡Y A MÍ QUÉ ME IMPORTA..!

TODO EL MUNDO TIENE EL DERECHO A SER RESPETADO Y LA RESPONSABILIDAD DE RESPETAR A LOS DEMÁS... sin embargo, a menudo somos testigos de diferentes situaciones cotidianas, que pueden pasar desapercibidas, en las que no se respetan los derechos de los demás.

Estas situaciones se pueden dar en el colegio **(BULLYING)**, en casa **(MALTRATO)**, en el trabajo **(MOBBING)** e incluso en la sociedad **(DICTADURA)** y provocan una gran ansiedad, desconfianza y tristeza en quien las sufre.

Toma nuestra lupa del respeto y mira a tu alrededor, ¿identificas alguna situación de abuso de los derechos de los demás? ¿Y en el periódico de hoy?

O piso o me pisan.
Imponiendo mi voluntad por la fuerza los demás me respetarán. Además, ¡si sólo lo hago para pasar el rato, es una broma!

Jamás debemos unirnos a las "bromas" que les hacen a otros compañeros.
Si lo hacemos contribuiremos a que no se detengan. Una manera de respetar y ser respetado es no hacer lo que no quieres que te hagan.

BULLYING ¿Qué podemos hacer?

Nadie merece ser insultado, aislado o maltratado.
No debo sentir vergüenza y cuanto antes debo PEDIR AYUDA a alguien en quien confíe.

Todos merecemos que nos traten bien.
Debemos ofrecerle nuestro apoyo al compañero maltratado y pedir ayuda.

Yamú y Marie

Me llamo Yamú. Tengo 10 años y vivo en Uganda del Norte, en África. Cuando nací, ya había guerra en mi país y habían muerto mi padre y mis tres hermanos.

La **guerra civil** entre el Ejército de Liberación del Señor y el Gobierno de Uganda duró más de veinte años y dejó al país en extrema pobreza. En 2007 comenzaron las negociaciones de paz entre el Ejército y el Gobierno.

La guerra la dirigen adultos pero el "ejército" está formado en su mayoría por niños y niñas. Los secuestran de sus pueblos durante la noche de manera extremadamente violenta y los obligan a entrar en la guerra amenazando con matarlos si no obedecen las órdenes.

Yamú y miles de niños más tienen mucho miedo de que se los lleven por la fuerza, por eso se van cada noche de sus aldeas en el campo y caminan hacia los pueblos más grandes buscando lugares seguros para dormir.

En Uganda, como en otros países del mundo, los "niños soldado" provienen de familias y comunidades muy pobres y no tienen **acceso a la educación**.

Pelean en guerras de adultos, que no entienden, y son obligados a odiar a otros niños con los que podrían jugar o ir a la escuela.

Se cree que son más de 250.000 los niños reclutados o utilizados por los grupos y las fuerzas armadas en el mundo.

Alrededor del 40 % de los niños soldado son niñas.

Hasta 2001, cerca de 95.000 niños han podido beneficiarse de distintos programas de reinserción.

« Mi papel, al principio, era el de llevar una antorcha. Luego me enseñaron a utilizar granadas de mano y, en menos de un mes, ya llevaba un fusil AK47 y un G3. » Georges (Burundi).

« Matar y ver matar iba minando en nosotros todo sentimiento de empatía hacia los demás. » Óscar (Sierra Leona).

Me llamo Marie. Tengo 10 años y vivo en Montreal, una ciudad multicultural y bilingüe de Canadá. Voy a una escuela del estado y hablo francés e inglés.

✳ Durante el invierno pasa mucho tiempo en "la ciudad interior" de Montreal, una galería subterránea con 30 kilómetros de corredores peatonales en la que se puede pasear y comprar sin exponerse al frío de hasta -25 ºC.

✳ En Canadá conviven de manera pacífica diferentes **etnias**, lenguas y religiones. Además de canadienses, hay personas de Afganistán, Bosnia, Sudán, El Salvador y Sierra Leona, entre otros lugares. Esto es así porque Canadá es el país que recibe más **refugiados** del mundo y les ofrece la posibilidad de tener una vida diferente, con educación, trabajo y paz.

✳ Por las noches Marie cena con sus padres y después se va a la cama. Duerme tranquila mientras afuera cae silenciosamente la nieve.

¿TODOS HAN PODIDO ELEGIR SU TRABAJO?
Poder elegir el trabajo depende de muchos factores: del país en el que uno nace,
de la familia, de la vocación, de los estudios y muchas veces de la suerte.
En lugares donde hay pobreza económica, mucha gente no tiene acceso a la educación
y esto hace que tampoco tenga libertad para elegir. El trabajo, en este caso,
depende únicamente de la necesidad de ganar dinero para sobrevivir.
También hay personas que no encuentran trabajo.
Esto sucede en muchos países y se llama desempleo.

Mamá está de guardia

Piensa en un oficio
y exprésalo mediante
la mímica. Los demás
tienen que adivinar cuál
es. Piensa también en
oficios poco comunes.
¡A ver si lo
adivinan!
El que lo logre gana
y entonces es su turno
para actuar.

La mamá de Tina es violinista
y toca en una orquesta que
viaja mucho. Tina pasa muchos
días al mes con sus abuelos.

El papá de Juan y Alma trabaja
cuatro meses en una plataforma petrolera
en el mar, y descansa dos en tierra.

Margarita trabaja limpiando una casa
y cuidando a Néstor. No puede seguir estudiando.
Con el dinero que gana contribuye a mantener a
sus hermanos más pequeños y a sus padres
que viven en el campo.

La mamá y el papá de
Néstor trabajan en distintas oficinas
todo el día, sólo se ven un rato por la mañana
y otro por la noche, los fines de semana
pasan el tiempo juntos.

La mamá de Laura es enfermera
de cuidados intensivos en un hospital
de la ciudad. Tiene turnos distintos
durante el mes; a veces, tiene
que trabajar por la noche.

El papá y el tío de Orlando son albañiles. Ahora trabajan
en la construcción de un puente; se van cada mañana antes
de que salga el sol y regresan por la noche.

¡VAMOS AL COLE!

La escuela es muy importante: además de aprender a leer, a escribir y a contar, en la escuela aprendemos a convivir y a trabajar con los demás.

Cada año millones de niños comienzan a ir a la escuela, pero, desgraciadamente, no en todos los países del mundo.

En los países más pobres es frecuente que los niños tengan que ayudar a mantener a su familia, por lo que comienzan a trabajar desde pequeños y dejan de ir a clase.

1 de septiembre de 2007. Primer día del curso escolar en el campo de refugiados de Al-Shati, en Gaza.

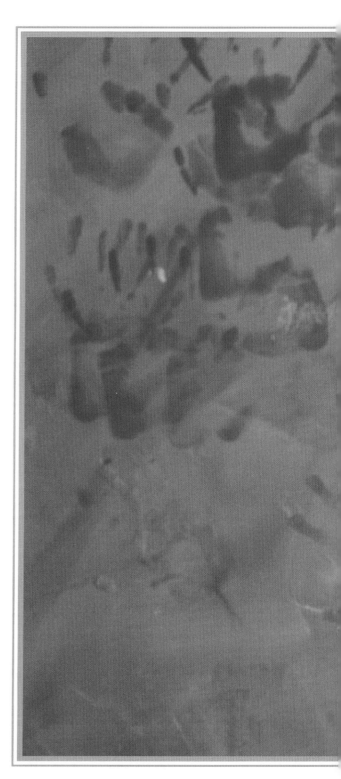

Escuela del barrio de Jamila, en Bagdad, atacada el 29 de marzo de 2007.

Niños sudaneses desplazados
en la escuela improvisada del campo
de Otah, en Nyala.

EN 2007, 72 MILLONES DE NIÑOS EN EL MUNDO, EN EDAD DE CURSAR LA PRIMARIA, NO IBAN A LA ESCUELA.

(UNESCO)

¿Sabías que...
...en el mundo hay cerca de 780 millones de adultos que no saben leer ni escribir? El analfabetismo es un problema que genera otros problemas. Ser analfabeto significa, además de no saber leer ni escribir, no haber aprendido todo lo que se aprende en la escuela sobre cómo funciona la vida en la sociedad.

Un día de clase en una escuela de Francia.

SER RICO, SER POBRE

¿Cuánto tiempo tengo que trabajar si me quiero comprar un Big Mac?

✳	Tokio	10 minutos
✳	Nueva York	13 minutos
➕	París	21 minutos
✳	Moscú	25 minutos
✳	Buenos Aires	56 minutos
✳	Manila	81 minutos
✳	México D.F.	82 minutos
✙	Nairobi	90 minutos
➕	Bogotá	97 minutos

La riqueza y la pobreza son algo relativo. No es lo mismo ser rico o ser pobre en España, Estados Unidos o en India. Estas desigualdades económicas no se dan sólo entre países sino que también existen dentro de un mismo país y de una misma sociedad.

En algunos lugares del mundo, las personas no tienen dinero ni siquiera para cubrir sus necesidades básicas (alimento, vivienda, agua potable y educación).

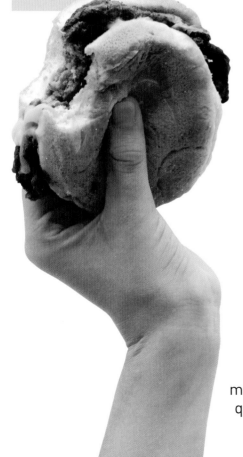

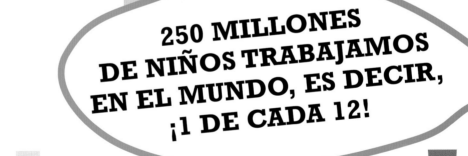

250 MILLONES DE NIÑOS TRABAJAMOS EN EL MUNDO, ES DECIR, ¡1 DE CADA 12!

EL 15 % DE LA POBLACIÓN MUNDIAL ACAPARA EL 80 % DE LOS RECURSOS Y LA RIQUEZA GLOBAL

Todos somos ricos

La riqueza económica no es la única que existe. Hay muchas otras riquezas, por ejemplo, la riqueza natural que poseen los países con una gran biodiversidad; la riqueza cultural de los lugares en los que se han mezclado diferentes culturas a lo largo de la historia o la riqueza creativa, que no tiene nacionalidad ni frontera y que ha producido los más grandes inventos, como el teléfono, la bicicleta, el helado o los calcetines...

1.200 MILLONES DE PERSONAS SOBREVIVEN CON MENOS DE 1 $ DIARIO

¿Cuánto vale 1 $?

¿Qué alimentos y para cuántas personas puedes comprar con esa cantidad de dinero?

EN LAS SOCIEDADES DONDE EL DESARROLLO ECONÓMICO ES MAYOR Y LAS NECESIDADES BÁSICAS ESTÁN CUBIERTAS, SE CREAN NUEVAS NECESIDADES (COMO LA DE TENER TAL O CUAL MARCA DE UN PRODUCTO, MÁS QUE EL PRODUCTO EN SÍ MISMO)

¿Me compras algo?

¿Y tú? ¿Tienes todo lo que necesitas

El dinero, así como la forma en que se administra y se distribuye, es uno de los factores que determina cómo se organiza una sociedad.

En aquellas sociedades en las que las necesidades básicas están cubiertas (sociedad de consumo) aparecen a menudo "falsas necesidades". En este tipo de sociedades es fundamental que **APRENDAMOS A TENER**: esto significa saber diferenciar entre lo que es necesario y lo que no, saber ahorrar, saber aplazar nuestros deseos y saber compartir.

El dinero nos ayuda a satisfacer casi todas nuestras necesidades al cambiarlo por las cosas que necesitamos o que deseamos. Nos permite conseguir muchas cosas, pero no lo es todo en la vida; las personas tenemos otras necesidades que no se pueden obtener con dinero, como la amistad, el talento, la alegría y la justicia...

La sociedad de consumo utiliza la publicidad para crear falsas necesidades; ésta sabe que los niños son los consumidores del futuro y influyen en lo que compran sus padres y sus amigos.

El consumo consciente y solidario, que lucha contra el trabajo infantil y paga un precio justo a los productores, se llama comercio justo. También utiliza envoltorios que generan menos basura o que son reciclables.

FAIRTRADE

¿Y necesitas todo lo que tienes?

Tsunami en Banda Aceh

Tenemos

Las causas que llevan a las personas a emigrar son muy diversas:

CATÁSTROFES NATURALES

GUERRAS

Darfur

PERSECUCIONES POLÍTICAS, RELIGIOSAS O ÉTNICAS

Kosovo

DESEMPLEO

POBREZA

Corralito argentino

que irnos

Millones de personas deciden moverse de lugar en busca de una vida mejor que muchas veces no encuentran. La salida de la población se llama emigración y la llegada inmigración. Las migraciones pueden ser dentro de un mismo país (por ejemplo, del campo a la ciudad) o de un país a otro.

En el año 2006, 190 millones de personas vivían en un país diferente al de su nacimiento.

Llegar a un lugar diferente y ser diferente no siempre es fácil. Implica, la mayoría de las veces, un cambio profundo en la vida.

Algunos inmigrantes hablamos otro idioma, comemos otras cosas, tenemos otras costumbres y otra religión. Nos encantará explicarte cosas de nuestro país y conocer el tuyo.

LA CULTURA

La cultura es todo lo que conforma nuestra manera de vivir: cómo pensamos, las lenguas que hablamos y cómo nos relacionamos.

Va más allá de qué comida comemos, la música que escuchamos o la forma como nos vestimos, pero a la vez lo incluye. La cultura no es inamovible sino que todos juntos la vamos construyendo y enriqueciendo cada día, y se transmite de generación en generación a través de la sociedad y de la familia.

A veces, creemos que nuestra cultura es la única que existe o la que es "normal" o "mejor". Pero no es así. Existe una gran **diversidad de culturas** en el mundo y todas son igualmente valiosas.

Cada uno de nosotros es único y tiene su propia identidad diferente a la de los demás. Ésta se compone de muchos aspectos; algunos se modifican con el tiempo y con la experiencia sin que dejemos de ser nosotros mismos.

Por muy diferentes que sean nuestras culturas o nuestras identidades hay valores que muchos compartimos. Por ejemplo, la paz, la libertad o la justicia. Respetar la diversidad no significa estar de acuerdo con todos los demás. Pero sí quiere decir aceptar que hay diferencias entre nosotros y, aún así, poder relacionarnos. La amistad es un puente muy sólido entre personas de diferentes culturas: ser generoso es estar unido a los otros sin dejar de ser uno mismo.

MEZCLAS

Kilama encontró una billetera en el andén del metro. Cuando la entregó al vigilante, éste no le creyó y pensó que la había robado. Kilama tiene la piel de un color diferente y otro acento al hablar.

LAS **MEZCLAS** ENRIQUECEN A LOS PAÍSES Y A LOS SERES HUMANOS. DE HECHO, TODOS VENIMOS DE UNA MEZCLA: NUESTROS PADRES.

LA **DISCRIMINACIÓN** DE LAS PERSONAS QUE SON "DIFERENTES" SE DA POR MIEDO, POR IGNORANCIA FRENTE A LA OTRA CULTURA O FORMA DE VIDA Y, EN GENERAL, POR UNA SERIE DE PREJUICIOS.

EXISTEN DIVERSAS FORMAS DE **DISCRIMINACIÓN**: UNA DE ELLAS SE LLAMA RACISMO Y PROVIENE DE LA CREENCIA FALSA DE QUE HAY DIFERENTES RAZAS DE SERES HUMANOS Y QUE UNAS SON MÁS VALIOSAS QUE OTRAS.

EL **RACISMO** HA SERVIDO A LO LARGO DE LA HISTORIA PARA JUSTIFICAR GRANDES INJUSTICIAS, COMO LA ESCLAVITUD, LA DISCRIMINACIÓN Y LA MATANZA DE PUEBLOS ENTEROS.

Cuando *Soraya* y *Leila* van por la calle, con frecuencia les dicen cosas que les molestan. Ambas llevan el pelo y la cara tapados.

Samuel está muy enojado con todas las personas que él considera "diferentes"; ha escuchado a sus padres decir que "esos" les van a quitar el trabajo, que tienen creencias malas y que sería mejor que no vinieran a "su país".

¿Sabías que... las investigaciones sobre el genoma humano han verificado que nuestra especie está compuesta por una única raza? LA RAZA HUMANA. Ésta se divide en diferentes orígenes étnicos y éstos en distintos pueblos.

Religiones del mundo

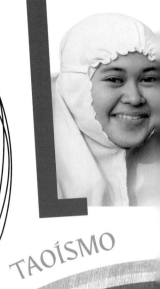

El **Hinduismo** es la religión más antigua del mundo. Nosotros creemos que Dios tiene múltiples representaciones o formas de estar en el mundo y, por lo tanto, tiene muchos nombres, por ejemplo: Brahma, Visnú y Shiva.

Los **budistas** no creemos en un Dios Todopoderoso. Buda no es ni un Dios ni un profeta, la palabra significa "el que ha despertado". Nuestra religión es principalmente una forma de vida que tiene como meta liberar al hombre del sufrimiento.

ANIMISMO   SIJ   TAOÍSMO

ZOROASTRISMO

SINTOÍSMO

CONFUCIONISMO

EN UNAS RELIGIONES DIOS ESPECIAL Y EN OTRAS ES UNA INVISIBLE. PARA ALGUNAS DIOS Y, PARA OTRAS,

El **Islam** es la religión de los musulmanes y también nosotros creemos en un solo Dios, que se llama Alá. Creemos que Alá tiene muchos "enviados" o Profetas. Somos seguidores de Mohammed.

El **Judaísmo** comparte con el Cristianismo la fe en un Dios Todopoderoso. Para nosotros, Dios eligió al pueblo judío para revelarle ciertas leyes y rituales.

CRISTIANISMO

JUDAÍSMO

ISLAM

HINDUISMO

BUDISMO

JAINISMO

ES UN SER MUY FUERZA PODEROSA E RELIGIONES HAY UN SOLO MUCHOS DIOSES.

¿Sabías que cada religión tiene sus propias celebraciones? Intenta contactar con niños de diferentes religiones y averigua cuándo, cómo y por qué celebran sus fiestas religiosas.

El **Cristianismo** cree en un Dios Todopoderoso, padre de Jesús, que fue su representante en la Tierra. Para nosotros, fue Dios el que creó al mundo y al ser humano.

Forma parte de las culturas del mundo la manera de explicar la vida y la muerte. En algunos lugares la muerte es el final, en otros, en cambio, es el inicio de una nueva vida; y en otros, vida y muerte son dos caras de la misma moneda.

La vida y la muerte

Existen celebraciones para la vida y para la muerte en diferentes partes del mundo:

Día de los muertos

La fiesta del Día de los Muertos es una fiesta mexicana que tiene su origen en culturas indígenas como la azteca, mixteca y zapoteca. Se desarrolla el mismo día de la celebración católica de Todos los Santos.

En Occidente, el día de Todos los Santos es también una celebración para los muertos, pero es principalmente de luto y oración.

En México, la mezcla de las tradiciones indígenas con las europeas la convirtió en una verdadera fiesta en la que se celebra con alegría el reencuentro con los seres queridos, que se cree que ese día regresarán a convivir con sus familiares y amigos vivos.

Fiestas de la Primavera

El Año Nuevo en China se celebra de acuerdo con el calendario lunar y coincide con el comienzo de la Primavera.

Después del invierno, la naturaleza despierta nuevamente a la vida y comienza un nuevo ciclo en el campo. Las Fiestas de la Primavera (o Año Nuevo chino) duran varios días y son un momento muy importante de reunión familiar.

Además de las danzas del dragón y del león en las calles, que ahuyentan a los malos espíritus, hay muchos rituales para propiciar el buen comienzo del nuevo ciclo.

¿Sabías que... en el calendario chino cada año tiene el nombre de un animal? 2008, por ejemplo, es el año de la rata.

¿Dónde vives?

todos los niños del mundo

¿Juegan **todos los niños del mundo** a lo mismo?

Cada lugar del mundo es diferente. Tiene su propio clima y su propio paisaje y éstos facilitan más un tipo de juegos que otros. Pues sería muy difícil ir en trineo en lugares donde nunca nieva o nadar en lugares donde hace muchísimo frío, **¿no crees?**

Pero, ¿sabes qué? Todos los niños y niñas del mundo tenemos algo en común: **¡A TODOS NOS ENCANTA JUGAR!**

Pierre es egipcio y vive al lado de la playa. Casi todo el año puede correr descalzo por la arena y jugar.

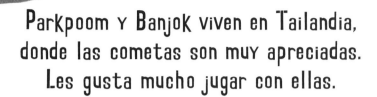

Parkpoom y Banjok viven en Tailandia, donde las cometas son muy apreciadas. Les gusta mucho jugar con ellas.

¿Sabes jugar al Daga, al Duro ou mole, al Mikado o al Parchís? Si no... investiga... seguro que te llevarás más de una sorpresa.

Zulma y Sandro viven en Nicaragua al lado de un lago. Juegan a atraparse nadando; es uno de sus juegos favoritos.

Nina vive en Noruega, donde está nevado parte del año. Le encanta ir en trineo.

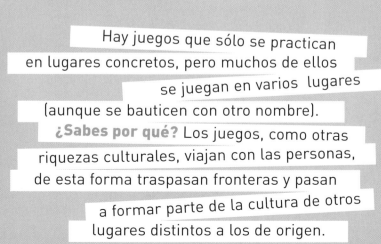

Hay juegos que sólo se practican en lugares concretos, pero muchos de ellos se juegan en varios lugares (aunque se bauticen con otro nombre). **¿Sabes por qué?** Los juegos, como otras riquezas culturales, viajan con las personas, de esta forma traspasan fronteras y pasan a formar parte de la cultura de otros lugares distintos a los de origen.

La vida

¿Dónde crees que vive Maia?

8:00H

10:00H

¿Y Max?

8:00H

10:00H

¿Crees que viven en ciudades o países diferentes?
Pues... la verdad es que viven en la misma ciudad y, es más, los dos van a la misma escuela y se sientan uno al lado del otro.

Aunque vivamos en el mismo lugar nuestro día a día puede ser muy diferente.

cotidiana *

[
¿QUIERES COMPROBARLO?
DIBUJA UNAS VIÑETAS CON TUS ACTIVIDADES DEL DÍA Y DEBAJO LAS DE TU AMIGO O AMIGA... ¡ANTES TENDRÁS QUE ENTREVISTARLO! ¡TAMBIÉN LO PUEDES HACER CON FOTOS!
]

DIVERSAS COSTUMBRES

Las mujeres kayan, en Birmania, ostentan un pesado collar que les alarga el cuello como signo de distinción, aunque originariamente lo llevaban para no ser raptadas por tribus enemigas.

La piñata es un recipiente hecho de barro o de papel, típico de México, adornado con colores vivos y lleno de dulces y frutas, que se cuelga de una cuerda y se rompe con un palo.

El punto de color rojo en la frente se llama Bindu o Tilak y lo pone el marido a su esposa en el momento de la boda. Cuando las mujeres indias lo llevan significa que están casadas.

El origami, originario de Japón, consiste en doblar hojas cuadradas de papel de colores para formar figuras, como pájaros, barcos y peces.

La fête du Ngondo es la fiesta del agua que celebran las poblaciones costeras del río Wouri, en Camerún. En el río encuentran el mensaje que sus antepasados les entregan para el año siguiente.

En Groenlandia los inuit se besan rozándose la nariz.

En Polonia se pone un plato más en la mesa, en Navidad, por si alguien que no tenga donde comer llama a la puerta.

Pero... ¿sabes qué? También hay niños que viven en Francia y rompen piñatas, o niños que viven en la India y hacen origami, porque las costumbres no son propias de los países sino de las personas... Y, a veces, las personas nos movemos de lugar y nos llevamos con nosotros algunas costumbres que seguimos practicando e incorporamos otras. E incluso creamos nuevas costumbres. De hecho, las personas somos tan creativas e imaginativas que nunca repetimos exactamente lo mismo, sino que siempre incorporamos variaciones.

¿Dónde se **saludan** rozándose la nariz?

¿Dónde las mujeres llevan un **collar** que les alarga el cuello?

¿Dónde se pone **un plato más** en la mesa de Navidad?

¿Dónde llevan un **lunar rojo** en el centro de la frente?

¿Dónde hacen **origami**?

¿Quieres comprobarlo?

Pues te proponemos una una investigación:
piensa en alguna costumbre que tenga tu familia.
Pregunta a tus padres si hacían lo mismo cuando eran pequeños...
¿Era exactamente como lo hacen ahora?
¡Seguramente tu familia ya habrá creado nuevas costumbres!

piñata

¿Dónde rompen una **piñata** en los cumpleaños?

Ngondo

¿Dónde se celebra la fiesta de **Ngondo**?

¡Hola!

En muchos países no es nada inusual que los niños aprendan a hablar dos o más idiomas y que los utilicen a diario para comunicarse y entender a los que están a su alrededor.

En muchos lugares del mundo la gente es bilingüe o plurilingüe.

GUTEN TAG

HEIA

BONJOUR

ZDRAVSTVUITE

HEI

CIAO

¿Sabes cuántas lenguas diferentes se hablan en el mundo?
¡Unas 6.912!

¿Sabrías decir dónde se hablan estas lenguas?
¡Te invitamos a que lo investigues!

Y de todas las lenguas que existen, ¿sabes cuáles son las más habladas?
El mandarín, el inglés, el hindi, el árabe y el español.

¿Sabías que...
las lenguas son valiosas llaves mágicas que te permiten abrir grandes puertas a través de las cuales puedes comunicarte con otras personas y acercarte a sus culturas?
Pero cuando no las tenemos, siempre podemos utilizar la maravillosa llave de la **creatividad**, con la que siempre encontraremos la manera de hacernos entender.

SALEUM
SHALOM
TUNGJATJETA
HELLO
MOKARIMAKKA

Papua Nueva Guinea: 820

Indonesia: 742

Nigeria: 516

India: 427

¿Y cuáles son los lugares donde se habla más **diversidad** de lenguas?

La lengua que saborea

¿Has probado alguna vez los gusanos de agave azul con guacamole o las hormigas "culonas"? ¿Y la pizza? ¿O quizás un suculento baklava? A lo mejor prefieres el pescado crudo al estilo japonés, un plato de pollo con patatas o una mariscada a base de gambas, mejillones y cangrejos.

Cuando nos educan, lo hacen también sobre lo que se come y lo que no, sobre lo que está bueno o malo, lo que es adecuado y lo que no. Pero todos estos patrones dependen de dónde hayamos nacido y de los recursos alimentarios de los que se disponga.

Lo que en unos lugares parece inadmisible (en la India, las vacas se consideran sagradas y no se comen) en otros resulta de lo más habitual, y lo que para algunos es "asqueroso" para otros resulta un delicioso manjar. Por ejemplo, en algunos sitios, como en Bali y Tailandia, las libélulas y los escorpiones son muy apreciados como plato. En otros, como en Corea, los perros se comen, y en muchos países de Europa se comen pollos, ovejas, vacas, cerdos y caballos.

En Ghana, los nativos se comen fritas o asadas las termitas aladas, una fuente de proteínas, grasa y aceite que les aleja de la desnutrición.

Averigua dónde es más probable que puedas pedir un plato de las siguientes cosas: Chapulines, hormigas culonas, baklavas, teriyaki, grillos, escorpiones, pupas de gusano de seda, grillos, serpiente y arroz.

¿Sabías que...
existen más de 1.400
variedades de arroz en el mundo
y más de la mitad de la población
del planeta tiene el arroz como
alimento básico?

Nuestra **casa**

En la actualidad existen alrededor de **1.700.000 especies vegetales y animales** y cada una de ellas desempeña un papel específico en el equilibrio natural de nuestro planeta. El ser humano, inconsciente durante muchos años de las consecuencias de su modo de vida, es el principal responsable de que este equilibrio se rompa.

La Tierra es nuestra casa y todos la compartimos. Aunque el planeta sea enorme, a todos nos afecta que en el otro lado del mundo se quemen los bosques, se sequen los ríos o desaparezcan los osos polares.

El calentamiento global nos afecta a todos porque pone en peligro la biodiversidad.

Tenemos el gran reto de frenar la destrucción del medio ambiente y de la biodiversidad. Además de los acuerdos internacionales, necesarios para coordinar las acciones de protección del planeta, es indispensable que cada uno de nosotros, en su vida cotidiana, proteja y cuide nuestra hermosa casa azul. ¿Cómo?

Separemos la basura para facilitar el reciclaje de ciertos materiales.

Evitemos los envoltorios y las bolsas de plástico.

Utilicemos el transporte colectivo, la bici o vayamos a pie.

Ahorremos agua y energía.

Utilicemos el papel por los dos lados. ¡Dos dibujos son más bonitos que uno!

¡No hay derecho!

¿Crees que todos los niños del mundo tienen los mismos derechos? ¿Y crees que son respetados?

- Derecho a la igualdad.
- Derecho a la salud.
- Derecho a ir a la escuela.
- Derecho a jugar y al tiempo libre.
- Derecho a poder expresarnos libremente y a ser escuchados.
- Derecho a una educación sin violencia y a no ser maltratados.
- Derecho de asilo y a ser protegidos en las guerras.
- Derecho a ser protegidos de la explotación laboral y sexual.
- Derecho a ser cuidados por nuestros padres.
- Derecho de los niños con discapacidad a recibir apoyo y atención especializada.

Estos derechos son sólo un resumen de los 54 Artículos que conforman la *Convención de los Derechos de los Niños*. ¿La conoces? Por internet seguro que la encontrarás. Búscala y cuélgala donde la puedan ver más niños.

¡Queremos que todos los niños tengan las mismas oportunidades para desarrollarse! Los niños que hemos sido respetados nos convertimos en adultos que respetan los derechos de los demás.

Hoy, casi todos los países del mundo se han comprometido a cumplir con la *Convención de los Derechos de los Niños*, aunque, lamentablemente, en la práctica muchos no la obedecen.

Diver...sidad empieza igual que **diver...sión.**

Son palabras amigas y es que ¡sin diversidad no habría diversión!
¿Hay alguien que sea exactamente igual que tú?

¡A todos nos pasa lo mismo, y en eso somos iguales!

Diver...sión

¡Actúa!

Ahora ya sabes si existen o no dos personas exactamente iguales, por qué se pueden tener dos madres, que es posible leer con los dedos o comunicarse con las manos.

Sabes que todos somos muy diferentes, que no existen personas "normales" o "anormales" sino que simplemente existen **personas únicas.** Y que cada uno de nosotros formamos nuestra identidad a partir de las vivencias en nuestro entorno familiar y social (en la escuela, con los amigos, en el barrio...). Cada uno de nosotros también somos un mundo diverso que va cambiando día a día.

También sabes que, aunque todos los niños seamos muy diferentes unos de otros, **todos** tenemos los **mismos derechos** y todos deberíamos tener las mismas oportunidades para crecer y desarrollarnos. Pero ya has podido observar que, injustamente, no todos los niños pueden disfrutar de ellas. Siguen habiendo niños que no pueden ir a jugar porque no pueden llegar al espacio de juego con la silla de ruedas, niños a los que se discrimina por hablar en su casa otro idioma, niños que no pueden ir a la escuela y otros que tienen que trabajar para poder sobrevivir.

De la mayoría de las injusticias son responsables los adultos. Pero, en ocasiones, los niños también podemos contribuir a derrumbarlas. **¿Se te ocurre cómo? La diversidad de respuestas a esta pregunta es enorme, confiamos que al cerrar este libro, abras tu imaginación a tu modo personal y colectivo de contribuir a que este mundo sea un lugar mejor para todos.**